# 新大学女子音楽

## 《歌唱教材編》

●歌唱曲●合唱曲●輪唱
●ソルフェージュ

株式会社 エー・ティー・エヌ

## ■編集責任者

菊本哲也／在原章子（東京女子体育短期大学）

## ■編集委員

（五十音順）

秋尾弘道（九州女子短期大学）
犬井章夫（滋賀県立短期大学）
今泉和子（秋草学園短期大学）
上田　豊（順正短期大学）
内野　清（大阪董英女子短期大学）
小川裕二（国学院大学栃木短期大学）
越智由紀子（松山東雲短期大学）
小原文隆（横浜女子短期大学）
木下浩子（長崎女子短期大学）
木村博子（青森明の星短期大学）
澤田直子（拓殖大学北海道短期大学）
曽我部司（中国短期大学）
冨田英也（白鷗女子短期大学）
長坂幸子（滋賀女子短期大学）
野々垣文成（柳城女子短期大学）
早川史郎（聖徳大学短期大学部）
平松昌子（北海道栄養短期大学）
樋渡美智子（長崎短期大学）
麥倉直子（姫路学院女子短期大学）
八木宏子（東京女子体育短期大学）
山岸麗子（東京女子体育短期大学）
山田輝子（江南女子短期大学）
山内悠子（東京女子体育短期大学）
山本恵子（岩国短期大学）
吉野幸男（国学院短期大学）

# ＊はじめに

声楽の教本は数多く出版されていますが、教員養成課程の、女子学生用としての声楽教本はあまりみられません。また、大学の教員養成における表現、音楽の単位数は、かならずしも満足できる状態にはありませんが、今の枠内において、なんとか能力を育成しようと努力を重ねているのが現状です。

ことに短期大学では、年限が2年ということもあり、個人レッスン的な指導でみたされない音楽（声楽）の学習は、どうしてもクラス授業の形になるので、その時限に役にたつような、この教材を企画しました。

幼児、児童教育の実践の場での音楽は、教師の「歌で表現する力」つまり歌唱技能が大切な要素になります。この点を重視し、多くの歌唱経験を重ね、豊かな音楽性をあわせもつことが望まれます。

この教材では、身ぢかな親しみやすい内外の歌曲や、女子学生が、好んで歌ってくれる合唱曲を選曲しました。

基本となるリズムや2声の練習も応用していただき、お役にたてれば幸です。

**編集委員**

○新 大学女子音楽

✳もくじ

## ●Part 1 歌唱曲

## ●Part 2 女声合唱曲



## ●Part 3 輪　唱



## ●Part 4 ソルフェージュ

# 音楽に寄す An die Musik

久野静夫・作詞／F.Schubert・作曲

hast du mein Herz zu war - mer Lieb' ent -
den Him - mer bess' - rer Zei - ten mir er -
わ が こ こ ろ よ ー ろ こ び ー に ー
お も い で は い ー ず み の ー ご ー
zun - den, hast mich in ei - ne bess' - re Welt ent -
schlossen, du hol - de Kunst, ich dan - ke dir da -
み ち せ ま り く る ー そ の こ え
と く は て も な く ー わ き い で
cresc.
rückt, in ei - ne bess' - re Welt ent - rückt.
für, du hol - de Kunst, ich dan - ke dir.
は わ か き ひ の ゆ め の ご と
て た の し き し ら べ に よ う
p
fp
fp

# 菩提樹 Der Lindenbaum

近藤朔風・訳詞／F.Schubert・作曲

Wort; es zog in Freud und Lei - de zu ihm mich im-mer fort.
ば う れ し か な し ー に と い し そ の か げ
pp
Ich
きょ
pp
mußt' auch heu - te wan - dern vor - bei in tie - fer Nacht, da
う も よ ぎ り ぬ く ら き さ よ な か ま
hab ich noch im Dun - kel die Au - gen zu - ge - macht. Und
や み に た ち て ま な こ と ず れ ば え

sei - ne Zweige rausch - ten, als rie - fen sie mir zu: komm
だ は そ よ ぎ ー て か た る ご と し こ
her zu mir, Ge - sel - le, hier find'st___ du dei - ne Ruh'!
よ い と し と ー も こ こ に さ ち あ り
Die kal - ten Win-de blie - sen mir
お も を か す め て ふ
grad' ins An - ge - sicht, der Hut flog mir vom
く か ぜ さ む く か さ は と べ
cresc.

Kop - fe, ich wen - - de - te mich
ど も す て て い そ ぎ
nicht.
ぬ
p
decresc.
Nun
は
fp
ppp
bin ich manche Stun - de ent - fernt von je - nem Ort, und
る か さ か り て た た ず ま ー え ば な
pp

im - mer hör'ich's rau - schen: du fän - dest Ru - he dort! Nun bin ich manche
お も き こ ゆ る こ こ に さ ち あ り は る か さ か
Stun - de ent - fernt von je - nem Ort, und im - mer hör'ich's rau - schen: du
り ー て た た ず ま え ば な お も き こ ゆ ー る こ
fän - dest Ru - he dort, du fän - dest Ru - he dort!
こ に さ ち あ り こ こ に さ ち ー あ り
fp
fp
pp
decresc.
dim.

# セレナーデ Ständchen

堀内敬三・訳詞／F.Schubert・作曲

in des Mon - des Licht, in des Mon - des Licht;
ken - nen Lie - bes - schmerz, ken - nen Lie - bes - schmerz?
もるつき かげ もるつき かげ
あいのな やみ あいのな やみ
des Ver - rä - ters feind - lich Lau - schen fürch - te, Hol - de, nicht,
rüh - ren mit den Sil - ber - tö - nen je - des wei - che Herz,
ひとめ もとどか じ たーゆた いそ
わりな きおもい の かのひと ふし
fürch - te, Hol - de, nicht.
je - des wei - che Herz.
たーゆた いそ
かのひと ふし
pp
p
expr.
mf
cres - cen - do
f
expr.

a trifle faster
Lass auch dir die Brust be - we - gen, Lieb - chen, hö - re mich,
ふかきおもいをばきみやしる
cresc.
f
be - bend harr' ich dir ent - ge - gen!
わがこころさわげり
f
f
p
p
komm, be - glü - cke mich, komm, be - glü - cke mich,
まてるわれにいでこよきみ
p
f
f
be - glü - cke mich!
いでこよ
decresc.
p
p
pp
pp
dim.
pp
pp

# アヴェ マリア Ave Maria

堀内敬三・訳詞／F.Schubert・作曲

schla - fen si-cher bis zum Mor-gen, ob Men-schen noch so grau-sam sind O
も とにやすらけーく い こわしーめたーまえ な
fp
Jung-frau, sich' der Jung frau Sor-gen, o Mut - ter, hör ein bitt-end Kind!
やめるこのーこころ きみにねーぎまーつる
pp
A - ve Ma-ri - a!
アベマリーア
dim.

# 春へのあこがれ Sehnsucht nach dem Frühlinge

青柳善吾・作詞／W.A.Mozart・作曲

lie - ber Mai, wie ger - ne ein - mal spa - zie - ren gehn!
auch viel Nach - ti - gal - len und schö - ne Ku - ckucks mit!
こ ろ も か ろ ー ー し そ ぞ ー ろ あ ー る き
こ ろ も す ず ー ー し そ ぞ ー ろ あ ー る き

# 日曜日 Sonntag

津川主一・作詞／J.Brahms・作曲

Her - ze - lein, woll-te Gott, woll-te Gott, ich wär' heu - te bei
Her - ze - lein, woll-te Gott, woll-te Gott, ich wär' heu - te bei
き み の い ま や こ こ に と も い ま さ
き み の い ま や こ こ に と も い ま さ
ihr, woll-te Gott, woll-te Gott, ich wär' heu - te bei ihr!
ihr, woll-te Gott, woll-te Gott ich wär' heu - te bei ihr!
ば わ れ の さ ち や い か に あ る らん
ば わ れ の さ ち や い か に あ る らん
p
1.
2.
So will mir
ひ と め
1.
2.

# 歌のつばさに Auf Flügeln des Gesanges

津川主一・訳詞／F.Mendelssohn・作曲

cresc.
dim.
schein; die Lo - tos-blu-men er-war - ten ihr trau - tes Schwe - ster-
zell'n; und in der Fer - ne rau - schen des heil' - gen Stro - mes
り ー み よ や い ー け に は は ち す に ー お
き ー そ よ ぐ か ー ぜ さ え と も を よ ー べ
cresc.
dim.
p
cresc.
p
lein, die Lo - tos-blu-men er war - - ten ihr
Well'n und in der Fer - ne rau - - schen des
う ー み わ た す ー い け ー に は
り ー そ よ ぐ か ー ぜ さ ー え と
pp
cresc.
p
trau - tes Schwe - ster - len.
heil' - gen Stro - mes Well'n.
ち す に お う
も を よ べ り
cresc.
dim.
1.
2.
cresc.
2. Die
3. Dort wol-len wir nie - der
2. な
3. い ざ ー わ が ー と
p
cresc.
Ped.

sin - ken un-ter dem Pal - men - baum, und Lieb' und Ru - he
も よ たちてゆーかな ゆめ はうーる
Ped.
cresc.
cresc.
f
trin - ken und träu - men se - li - gen Ttaum, und
わ し は て ぬくーにへ ー は
cresc.
al
f
cresc.
dim.
träu - men se - li-gen Traum,
て ぬ く ーーにへ
dim.
p
Ped.
dim.
seli - gen Traum.
く ー ー にへ ー
dim.
pp
Ped.

# セレナータ La Serenata

畑中良輔・訳詞／F. P. Tosti・作曲

Vo - la. Splen - de Pu - ra la lu - - - na; L'a - le il si - len - zio
とへ つきかげきよく かぜもなご
sten - - de, E diet-ro i ve-li del-l'al-co-va bru-na La lam - pa - da s'ac -
みて きみがまどべの かげには ほかげゆら
cen - de: Pu - ra la lu-na Splen - de. Pu - ra la lu-na
ぎて つきかげあおし いざおおセレ
Splen - de Vo - la, O se - re - na - ta; Vo - la, O se - re -
ナータ きみをさそえや きみをさそ

na - ta, Vo - - la Ah!
え や い ざ あ
la. Ah! la.
あ―― あ あ――
Vo - la, O se-re-na - ta; La mia di-let - taè so - la; Ma,
い ざ おお セレ ナー タ きみ を さ そ え や ほ

sor-ri - den-do ancor mez-zo as-son - na - ta, Tor - na fra le len - zuo - - la;
ほえ みに まど ろみ つ つ ゆ めじ をたど る
O se-re - na-ta, Vo - - la, O se-re - na-ta, Vo - la.
おお セレ ナータ ゆ け き みが みも と へ
p
L'on - da So - gna sul li - - do, E'l ven-to su la fron - da;
な み よ する きし べ か ぜはこ ずえ に
E a' ba-ci miei ri - cu-sa ancor a un ni do La mia si - gno - ra bion - da.
こ のくちず けに めざ めよ わ が こ い び と よ

p
So - - gna su'l li-do L'on - - da.
うみもねむれば
pp
So - - gna su'l li-do L'on - - da.
いざおおセレナータ
p
pp
Vo - la,O se - re - na - - ta:
きみよさそえや
Vo - la,O se - re - na - - ta:
きみよさそえや
p
pp
Vo - - - - la.
いざ
Ah! la.
あ ― あ--- ―
p
Ah! la.
あ ― あ--- ― ―
pp
dim.

# 夢 Sogno

畑中良輔・畑中更予・共訳／F.P. Tosti・作曲

gl'oc - chi, Sfa - vil - la - va il tuo sguar - do d'a -
たるひとみはあいにみ
mor. Tu par - la - vi e la vo - ce som -
ちながこえはひそや
mes - sa Mi chie - de a dol - cem - en - te mer - cē,
かにーわがこころをもとめー
rit.
So - lo un guar - do che fos - se pro -
ただみつめひざまづ

pp rit.
ppp
mes - sa Im - plo - ra - vi cur -
き て ー な み だ に ぬ
rit.
pp
ppp
ten.
va - to al mio piè.
れ い た り き ー
col canto
Io ta -
せ つ
ce - va e col - l'a - ni - ma for - te Il de -
な き お も い に た え わ れ

rit.
sio ten - ta - to - re lot - tō Ho pro -
は も だし つ づ け ぬ ー し の
cresc.
col canto
va - to il mar - ti - rio e la mor - te, Pur mi
く る し み に か ち て き み
p
vin - si e ti dis - si di no. Ma il tuo
を さ け た れ ど も そ が
p
pp e rit.
lab - bro sfio - rō la mia fac - cia E la
く ち び る ふ れ て は ー こ こ
pp e rit.

for - za del cor mi tra - dì.
ろ も く ず お れ ぬ ー
rit.
pp lentamento
Chiu - si gli oc - chi, ti ste - si le
ま な こ と じ の べ し て
pp
pp rit.
ppp
brac - cia, Ma so - gna - vo e il bel
に は ー は か な き ゆ め
ppp
ten.
so - gno sva - nì!
ぞ の こ り き
col canto
ppp
rit.

# はかなし愛の誓い Piacer d'amor

津川主一・訳詞・編曲／G.Martini・作曲

mf
Tut - to scor - dal per
すべて
le - i, per Sil - via in fi - da;
ささげつくせし ─ に ─
cresc.
f
dim.
p
el - la or mi scor - da e ad al - tro a - mor s'af - fi -
はやもこころ ─ うつ ─ り ─ し
da. Pia - cer d'a -
か はかな
mf
dim.
p rit.

mor piũ che un di sol non du - ra: mar -
し あ い の ち ー か い ー か
tir d'a - mor tut - ta la vi - ta du - -
な し き お も い で は つ き
p rit.
ra.
ず
p
rit. assai
p
mf
"Fin - ché tran - quil - lo scor - re - rà il ru - scel la
の を よ ぎ り は て も し ー ら ず ー な
dolce

cresc.
f
ver - so il mar che cin - ge la pia - nu - ra
がれゆくおーがわーのごと
cresc.
f
mf
io t'a - me - rò." mi dis - se l'in - fe -
かわらーじと きみはちーぎ
mf
pp e smorz.
rinf. e rit.
de - le. Scor - re il ri - o an - cor, ma
りーぬ されどーいまーき
pp
rit.
p
can - giò in lei l'a - mor. Pia -
みーはいーずこー は
sf
mf

con dolore
cer d'a - mor più che un dì sol non
か な し ー あ い の ち ー か
più f
cresc.
rall.
du - ra; mar - tir d'a - mor tut - ta la vi - ta
い ー か な し き お も い ー で は ー
rall.
rit.
tr
du - ra.
つ き ず
rit.
mf
cresc.
p

# うつろの心 Nel cor più non misento

畑中良輔・訳詞／G.Paisiello・作曲

mor, sei col - pa tu. Mi piz - zi-chi, mi stuz-zi-chi, mi
い の ゆーー え ぞ く る し み な やみて の
pun - gi-chi, mi mas-ti-chi; che co - sa è que - sto ahi - mè? pie
ぞ ー み は く だかれ さ め て は か な し ー あ
sf
p
tà, pie-tà, pie - tà! a - mo - re è un cer - to che, che
わ れ あ わ れ あ わ れ こ い は わーー れ を ーーー かー
risoluto
di - spe-rar mi fa.
く も か ー え ぬ
f

# カロ ミオ ベン Caro mio ben

堀内敬三・訳詞／G.Giordani・作曲

gnor. Ces - sa, cru - del, tan - to ri - gor! Ces - sa, cru - del, tan - to ri -
ねのこよなき ー な ー ぐさ ー め やみじに みいで
rit.
port.
a tempo
gor, tan - to ri - gor! Ca - ro mio ben, cre - di - mi al - men, sen - za di
し ー ひかりよ わがゆめ わがうた そはき
cresc.
più cresc.
te lan - gui - sce il cor, Ca - ro mio ben, cre - di - mi al - men, sen - za di
み ー ただひと ー り こころに いだきて とこし
te lan - gui - sce il cor.
えに はなたじ
rit.

# サンタ ルチア Santa Lucia

堀内敬三・訳詞／Canzone Napoletana

p
Pla - ci - da è l'on - da pro - spe - ro è il ven - to.
Oh! co - m'e bel - lo star sul - la na - ve!
O - ve sor - ri - de - re vol - le il cre - a - to,
か ぜ も た ー え な み も な し
p
f
Ve - ni - te al - l'a - gi - le bar - chet - ta mi - a
Su pas - seg - ge - ri ve - ni - te vi - a
Tu sei l'im - pe - ro del - l'ar - mo - ni - a
こ よ や と も よ ふ ね は ま て り
f
1.
2. ff
San - ta Lu - ci - a! San - ta Lu - ci - a! San - ta Lu-
サ ン タ ー ル ー チ ー ア サ ン タ ル チ ア サ ン タ ル
1.
2.
ff
ci - a!
チ ア
f

# 夢路より Beautiful Dreamer

津川主一・訳詞／S.C.Foster・作曲

Beau-ti-ful dream - er queen of my song, List while I woo thee with
Beau-ti-ful dream - er beam on my heart, E'en as the morn on the
ゆめみる は わがきみ ー きかずや わが
ゆめみる は わがきみ ー あけゆく みそ
soft me-lo-dy; Gone are the cares of life's bu-sy throng,
stream-let and sea; Then will all cloud of sor-row de-part,
しらべを ー なりわい の うれいは ー
らのいろ ー かなしみ は くもいに ー
Beau-ti-ful dream-er a-wake un-to me! Beau-ti-ful dream-er a-wake un-to
あともなくきえゆけ ば ー ー ゆめじよりかえりこ
ad lib.
me!
よ ー ー

# 初　恋

石川啄木・作詞／越谷達之助・作曲

tranquillo
mp
はつ
こ い––– の いた み ––––を と おくとおく–
mp
pp
あ ––– あ – ––––– – お
ppp
pp
a tempo
mp
もいいずる ひ すな
ppp
D.S. al Fine

# 浜辺の歌

林　古溪・作詞／成田為三・作曲

ぜ の お ー と よ く も の さ ま
す る な ー み よ か え す な み
み し わ ー れ は す べ て い え
cresc. poco a poco
f
よ ー よ す るーな ーー み ー も かー
よ ー つ き のーい ーー ろ ー も ほー
て ー は ま のーま ーー さ ー ご まー
p
い の い ろ も ー
し の か げ も ー
な ご い ま は ー
pp

# 早春賦

吉丸一昌・作詞／中田　章・作曲

やーたにのうぐいすうたはおもえ
むーさてはときぞとおもうあやに
をーきけばせかるるむねのおもい
f
どーときにあらずーとこえもたーて
くーきょうもきのうーともゆきのそーー
をーいかにせよとーのこのーごーろ
p
pp
rit.
ずーときにあらずとこえーもたーて
らーきょうもきのうともゆきーのそーー
かーいかにせよとのこのーーごーろ
rit.
1.2.
a tempo
3.
ずー2.こ
らー3.は
かー
1.2.
3.
a tempo
p
pp

# ふるさとの

石川啄木・作詞／平井康三郎・作曲

う こ と な し ー ふ る さ
た ー か み の ー き し べ
と の や ま は あ り が た ー き
め に み ー ゆ な け と ご ー と
cresc.
f
poco rall.
p
a tempo
か ー な
く ー に
mf
rall.

# ゆりかご

平井康三郎・作詞・作曲

mp dolce
espress.
ゆ り か ー ご に ゆ れ て
し ず か ー に ー ね む れ
か ぜ は ゆ め を
さ ま し
く ろ き ひ と み に ふ く よ
rall.
rall.
pp

# ペチカ

北原白秋・作詞／山田耕筰・作曲

# 風の子供

竹久夢二・作詞／中田喜直・作曲

すすきも ききょうも かるかやも みーんな
ゆめから さめました
mp
mf
かーぜの こどもが はまへ でて やどかりの
8va
poco rit.
mf a tempo
(Ped.)
(Ped.)
かお なでました やどかり びっくり とをしめ

poco rit. a tempo
pp
p
て よんでも よんでも でてはこずー
poco rit. a tempo
pp
p
p cresc.
cresc.
mf
dim.
p
(Ped.)
p
さんまもたいもえびのこも なーみに
L.H.
p
(Ped.)
かくれて ゆきましたー
8va
pp
(Ped.)

# 花

武島羽衣・作詞／滝廉太郎・作曲

な　がめ　を　なーにーに　た　とーう　べーき
みずや　あ　けーぼーの　つーゆーあ　び　て
われに　も　のーいうー　さ　くら　ぎ　を

み ずや ゆう ぐれ て を の べ て
わ れさ し まーねーく あ おーや ぎ を
に しき おりーなーす ちょうーーて い に

mf
(V)
p
く　るれ　ば　のーぼーる　お　ぼろーづーき
f
げ　に　い　ーっ　こ　く　も　せ　ん　き　ん　の
mf
f
rit.
な　がめ　を　なーにーに　たーとうーべー
き
mf a tempo
rit.

# 花のまわりで

江間章子・作詞／大津三郎・作曲／岡本敏明・編曲

まわれまわれーこまのようにうたい
まわれまわれーにじのようにまるく
まわれまわれーあかいはなあおい
まわれまわれーまわれ
まわれまわれーまわれ
まわれまわれーまわれ
to Φ
ながらちきゅうのようにまわろう
なっﾏてひかりとなってーまわろう
はなわうーたいながら
まーーわろーうー
まーーわろーうー
よー
よー
2nd time D.C.
Φ Coda
rit.
まわろうよー
まーーわろうよー

# 花の街

江間章子・作詞／團伊玖磨・作曲

mf
ン わ に な っ て わ に な っ て
よ わ に な っ て わ に な っ て
て わ に な っ て わ に な っ て
cresc.
f
mp
か け て い っ た よ ー は る よ
お ど っ て い た よ ー は る よ
は る の ゆ う ぐ れ ー ひ と り
は る よ と か け て い っ た ー よ
は る よ と お ど っ て い た ー よ
さ び し く な い て い ー た ー よ
8va
p

# 夏の思い出

江間章子・作詞／中田喜直・作曲

E♭/B♭
B♭7
dim.
p E♭
ゆめみてさいているみずのほとりしゃくなげいーろに
ゆめみてにおっているみずのほとりまーなこつぶれば
mp
B♭7
mf E♭
C7
p Fm B♭7 E♭
1.
たそがれる はるかなおぜ とおいそら
なつかしい はるかなおぜ とおいそら
2.
Fine

# いずみのほとり

深尾須磨子・作詞／橋本国彦・作曲

mp
うつしている　みずよ　みずよ
うつしている　みずよ　みずよ
あきのー　みずよ　みずよ　みずよ
あきのー　みずよ　みずよ　みずよ
1.
②へ
あきのー　みず　よー
あきのー　みず
f
3.
よー
Fine
②
p
2.むかし　むかし　いずみの

mf
ほとり　てんしたちが　こひつじたちとー
p
rit.
あそびましーた　むかし　むかし　いまは　むかし
D.S.
D.S.

# こな雪に寄せるノスタルジア

サトウ・ハチロー・作詞／磯部　俶・作曲

mf
たかくいりっをにたすつゆーーーりげきよてうせいさてるぎーーーつはそもなのれしめよにをつはそ
まにあどわねへのとひあつたかくいりっをにたすつゆりげきよてうせいさてるぎ
もなのれしめとにをつはそもなのれしめよにをつはそもなのれしめとにをうみゆたみびいをでつすなづまぜけしてたたた
p
おさなきあのひこなゆきにーこ
mp
rit.
a tempo

mf
なゆきにー　わたしのわたしの　ノスタル
mf
ジァーー
1.2.
poco rit.
3.
2.〜3.こー
a tempo
mp
左手
p

# 四季の歌

荒木とよひさ・作詞・作曲／松本恒敏・編曲

1.
ぼ く の と も だ ち
ぼ く の ち ち お
ぼ く の こ い び
mf
mp
2.
や
3.
と

mp
ラ ー ー ー ー ラ ー ー ー ー ラララララー
mp
ふ ゆをあいする ひ と は こ ころきよきひ と ゆ きをと かす
mp
mf
ー ー ー ラ ー ー ー ー m ー ー は は お や
だいちのような ぼ く のははお や は は お や
f
rit.
p

# 気球に乗ってどこまでも

東　龍男・作曲／平吉毅州・作曲

に のーって のはらをこえて くも
を こえて うちゅうをはるか せい
をーーとびこえ
ざのーせかいへ
どこまでもいこう そ
to Φ
to Φ
こにーなにかが まーって ーいるか
手拍子
ら ラン ラランランランラン ランランランラン ー
ランランラランランランラン ラン

ラン ラン ラ ランランランラン ランランランラン ー ラン ラン ラ ランランランラン ラン
D.S.
Coda
こ に ー か が や く ゆ め が ー あ る か
ら ラ ラ ラ ラ ラ ラ ラ ラ ー

# おかあさん

辻本燿二・作詞／大中　恩・作曲

p
rit.
おか　あさん　おか　あさん　やさしいえがおが　そこにあった
おか　あさん　おか　あさん　よふけてえがおが　そらへかえる
おか　あ　さん　おか　あ　さん　そ　こ　に　あ　った
おか　あ　さん　おか　あ　さん　そ　ら　へ　か　える
a tempo
mp
そらのほしを　ーみあげて　ゆびでほしと　ー　か　い
そらのほしを　み　あげて
1.
2.
た　ー　た　ー
pp

# 心には素晴らしい翼がある

宮中雲子・作詞／橋本祥路・作曲

こ ろはかろや かにー と ん ーで ゆ く
こ ろはひたす らにー と ん ーで ゆ く
こ こ ろ に は つ ば さ が つ い て い
simile
る こ こ ろ に は す て き な つ
ば さ が あ る ば さ が あ る

# 空がこんなに青いとは

岩谷時子・作詞／野田暉行・作曲

mf
poco rit.
f
a tempo
そ　ら　　そ ら は お し え て　く れ た
そ　ら　　そ ら は き か せ て　く れ た
poco rit.
a tempo
mf
f
mp
お お き い こ こ ろ を　も つ　よ う　に　　と も だ ち の
か ぜ に も ま け な い　く も　の う　た　　ひ と り で も
mp
mf
て を は な さ ぬ　よ う　に　に
も う な か な い　よ う
1.
2.
mf
f
ff

# あの素晴らしい愛をもう一度

北山　修・作詞／加藤和彦・作曲

（＊↗：主旋律）

D G F E Am E7 F G♯dim
cresc.
(V)
はもうかよわない あのすばらしいあいを もういち
cresc.
Am F E Am E7 1.F G7 C
mf
cresc.
(V)
ど あのすばらしいあいを もういちど
1.
mf
cresc.
C Am7 C Am7 C Am7 G7 2. F Dm7
mf
f
V
2.ひ もう
2.
mp
mf
ff
G7 C Am7 A♭ C6 Cmaj7
いちど ー ー ー

# この広い野原いっぱい

小園江佳子・作詞／森山良子・作曲／早川史郎・編曲

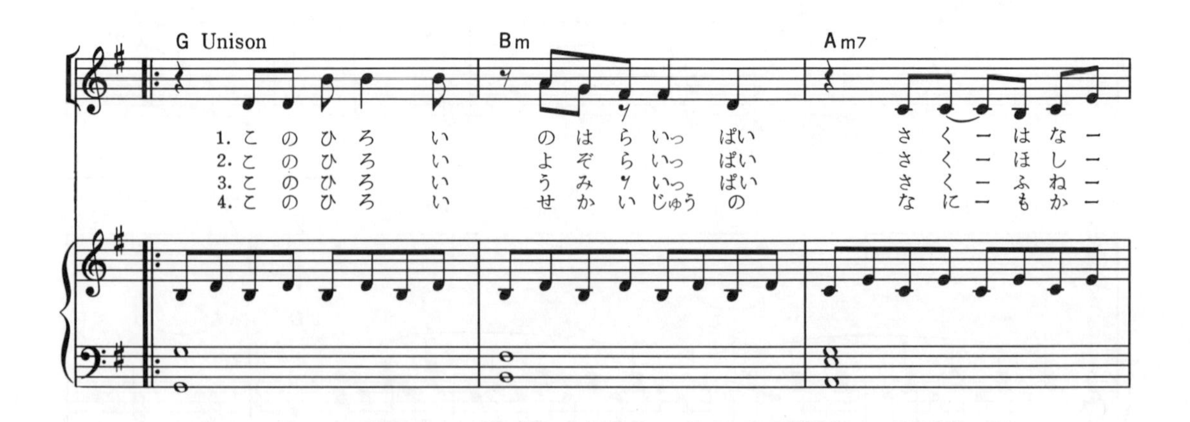

Am7 D7 C
あなたにーあげるーあかいリ
あなたにーあげるーにじにか
あなたにーあげるーあおいほ
あなたにーあげるーだからわ
Cm G D7
ボンのはなたばーにし
がやくガラスにーつめ
にーーイニシャルーつけ
たしにてがみをーかい
1.2.3.
G D7
て
て
て
4.
G
て
C G Am A7 D7 G
rit.

# いい日旅立ち

谷村新司・作詞・作曲／茂呂裕一郎・編曲

Dm
A7
D7
えらぬー ひとたちー あついむねを
たしはー いまからー おもいでをつ
woo
Gm
C7
F
Dm
よぎーるー せめてきょうから ひとりきりー
くるためー すなにかれきで かくつもりー
Em7-5
A7
Dm
D7
たびにでるー
さよならとー
あ

Gm C9 F Am7−5 D7
あ にほんのどこかに ー ー ー わた
Gm Em7−5 A7sus4 A7
しをー まってる ひとがいる ー
Dm A7 D7 G
いいひー たびだちー
ゆうやけを さ がしーにー
ひつじぐもを さ がしーにー
しあわせを さ がしーにー
woo ー ー ー

Gm
C7
F
Dm
Em7−5
A7
to
ははのせなかで きいたー うたを みちづれ
ちちがおしえて くれたー うたを みちづれ
こどものころに うたったー うたを みちづれ
1.
2.
Dm
Em7−5
A7
Dm
D7
に み に あ
D.S.
Coda
Dm
Em7−5
A7
Dm
に
poco rit.

# もしもピアノが弾けたなら

阿久　悠・作詞／坂田晃一・作曲／早川史郎・編曲

B♭7 E♭ E♭ A♭ Fm7/B♭ E♭
と だろう— あめ が —ふるひは あ め のよに— かぜふ
と だろう— ひと を —あいした よ ろ こびや— こころ
Gm/D Gm Cm Gm E♭7 A♭M7
く よるには か ぜのよーにー はれ た ーあさには は
が かよわぬ か なーしみやー おさ え ーきれない じょ
B♭7 E♭ Gm Cm
れ やかに — だけ ど —ぼくには
う ねつや — だけ ど —ぼくには
Gm Cm A♭M7 E♭ Fm G7
ピアノがない— きみ に —きかせる うで もない— —ここ
ピアノがない— きみ と —ゆめみる こと もない— —ここ

Cm Gm A♭m7 E♭ A♭ A♭dim E♭/B♭ C7
ろは ーいつでも はん びらき つたえる ーことばがーーーの
ろは ーいつでも から まわり きかせる ーゆめさえーーーと
アーア アーー アーア アーー アー
F7 B♭ Cm Gm Cm Gm
こ されるーー
お ざかるーー
アーア ーー アーア ー アー
アーーのこされるー
ーーとおざかる
A♭ 1.A A♭m E♭ E♭ Gm
アーーのこされるー
とおざかる
Cm E♭ Fm Gm

C7 F7 B♭7 A♭ A♭m E♭ 2. A♭ A♭m E♭ E♭ A♭
もし ー ア ー ア ー
Fm7/B♭ E♭ Gm/D Gm Cm Gm
ア ー ア ア ー ア ー ア ー ア ア
E♭7 A♭M7 1. B♭7 E♭
ア ー ア ー ア ー ア
2. B♭7 A♭ A♭m E♭
ア ア ア ア ー ア ー

# 翼を下さい

山上路夫・作詞／村井邦彦・作曲／茂呂裕一郎・編曲

E7 B7 E7sus4 E7
さ つ け て く ー だ さ い この
じ ゆ め に み ー て い る
A E F#m C#m D A G E7
おおぞらにー つば さをひろげ とんで ゆきたい よ ー かな
A E F#m C#m D A
しみのないー じゆ うなそらへー つばさ はためか
1.
Bm7 E7 A D A
3
せ ー ゆきたい ー ー

2.
Bm7 E7 A E F♯m C♯m
せ ー この おおぞらに ー つばさをひろげ ー とん
D A G E7 A E
で ゆきたい よ ー かなしみのない ー じゆ
F♯m C♯m D A Bm7 E7
うなそらへ ー つばさ はためか せ ー ゆきた
A D A D A
い ー ー ー ー

# 忘れな草をあなたに

木下竜太郎・作詞／江口浩司・作曲／早川史郎・編曲

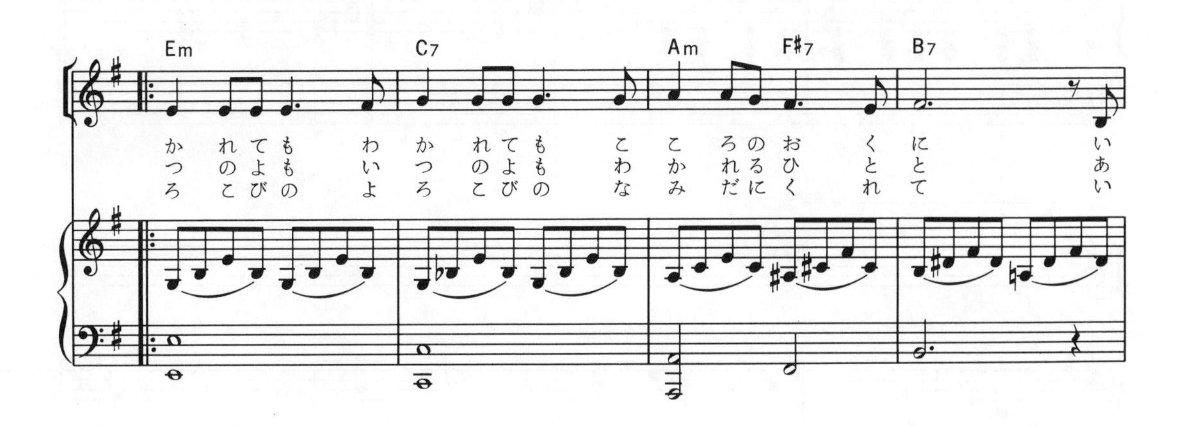

Am D B7 Em C7 F#7 B7
しーあわせいのるこーとばにそえて
たーだなきぬれてはーまべにつんだ
ふーたりのあいのおーもいでにそえ
わ
Em Cmaj7 Am Em あなた Am B7 to Φ
すれなぐさを
あなたにあなた
1. Em Am Em B7
に
Em
2.い
2. Em
に
D.S.
Φ Coda
Em
に
わ
D.S.

Em
Am
Em あなた
Am
に
B7
すれなぐ さを
あなたにあなた
Em
に

# きょうの日はさようなら

金子詔一・作詞・作曲／早川史郎・編曲

う る う ー ー ー あ す の ひ を ゆ め み ー
2.3. きょ う の ひ は さよ う な ー
C7 F B♭ F A7
て き ぼ う の み ち を ー
ら ま た あ う ひ ま
Dm Gm C7 1. F Fdim F
で ー で ー
2. Fmaj7 F6 3. F Fdim F
p

# 小さな想い出

岩橋正子・作詞／服部公一・作曲

む ー わかば が かーお る なみき みち ゆび き り
デ ー なーい た わかれ に ひがく れ て わ か い
で ー いーつ も ひそか に よびか け る は る か
を し た おさな い ゆめも いつか の かぜに ちりま し た ー
ふた り が きずい た ゆめも いつか の あめに きえま し た ー
むか し の あのき ず あとも いつか の ゆきに とけま し た ー
mf espress.
D.S.
Coda
mp

## 歌いましょう

岡本敏明・作詞／パウプトマン・作曲

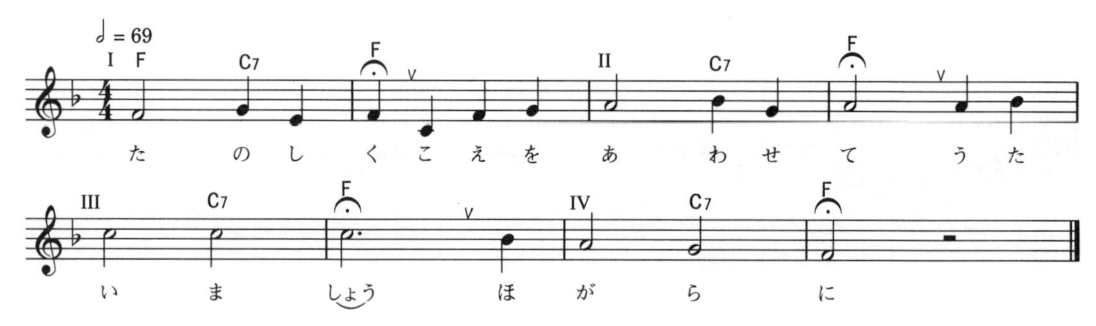


## 夜が明けた

岡本敏明・作詞／フランス曲

## 大きな声で

秋山日出夫・作詞／西崎嘉太郎・作曲

# またあう日まで

萩谷　納・作詞／イスラエル民謡

# ごきげんよう

岡本敏明・作詞／イギリス曲

# ハレルヤ

P.ヘイズ・作曲

## 2声の練習

※1　曲想や表示（スラー、スタッカート、*f* や *p*、ブレスなど）は自由に加えて、ヴァラエティ豊かな練習を楽しみましょう。

※2　[　] のついた臨時記号は、好みや能力に合わせて、つけたり、はずしたりしてください。

※3　ときには、拍子や調をかえて、練習してみるのもよいでしょう。

## リズムの練習

1.

2.

3.

4.

5.

6.

7.

8.

9.

10.

11.

12.

13.

14.

15.

# コンコーネ50番(中声)抜粋

Moderato
p
5

rall.

Andante sostenuto
6
sempre sotto voce
cresc. poco a poco

f
Majeur

Cantabile
11
p dolce
p
pp
pp

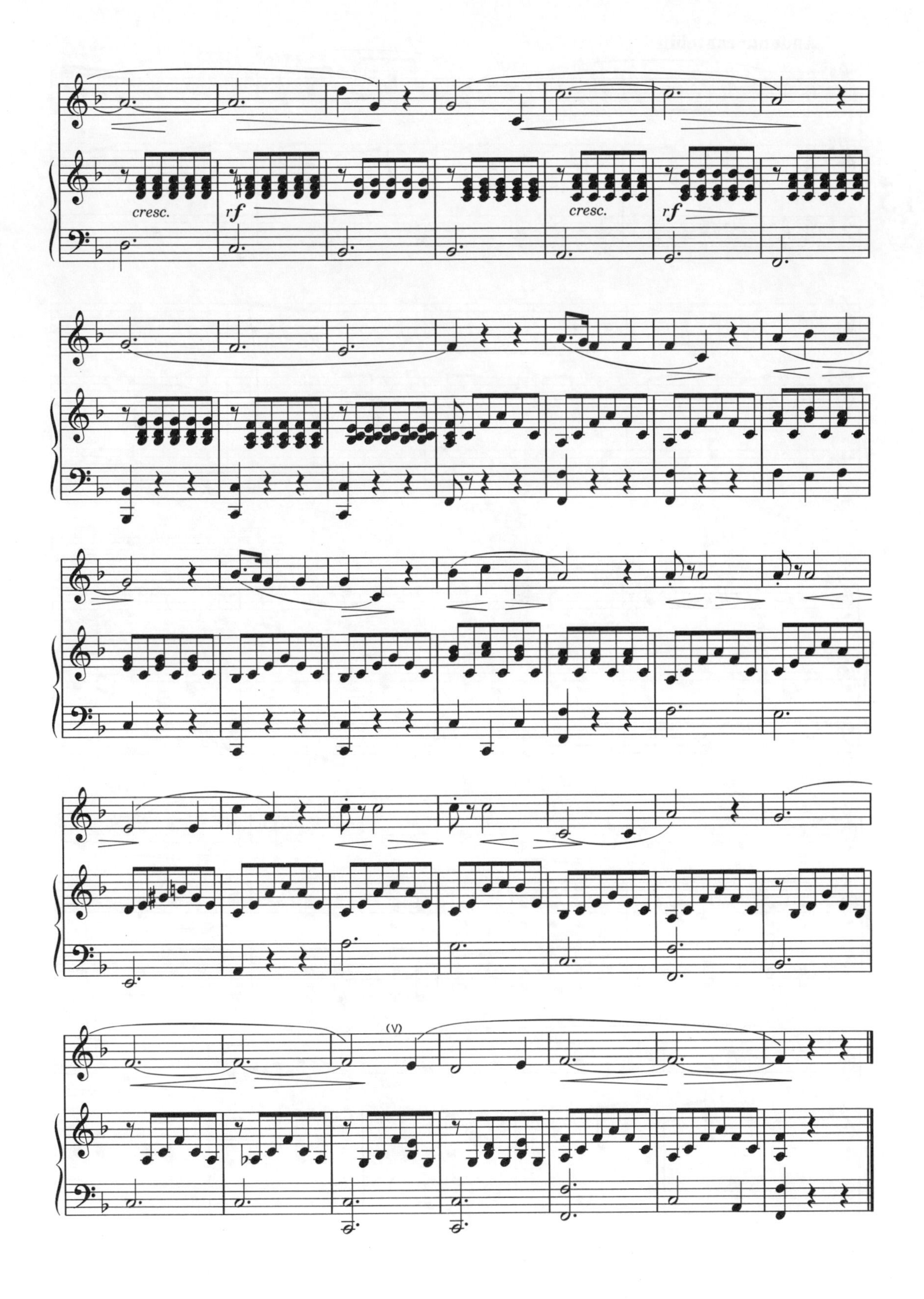
cresc.
rf
cresc.
rf
(V)

Andante cantabile
13

rf

ATN, inc.

**新大学女子音楽**
**〈歌唱教材編〉**

発行日　1993年 4月 1日（初　版）
2001年 3月20日（第1版9刷）
イラスト　須藤　治子
発行・発売　株式会社 エー・ティー・エヌ



住　所　〒161-0033
東京都新宿区下落合 3-12-21 目白エミネンス102
TEL 03-6908-3692 / FAX 03-6908-3694



JASRACの承認により許諾証紙貼付免除

日本音楽著作権協会（出）許諾第 9200218 - 109 号（許諾番号の対象は、当該出版物中、当協会が許諾することのできる著作物に限られます。）

4092-9




ISBN4-7549-4092-X